Como encantar seus clientes

Bob Miglani

Como encantar seus clientes

30 lições de atendimento e vendas que vão revolucionar a sua empresa

SEXTANTE

Publicado originalmente nos EUA e no Canadá por Hyperion,
com o título *Treat Your Customers*

Bob Miglani é um franqueado da Dairy Queen®.
Dairy Queen® e todas as marcas relacionadas pertencem à
American Dairy Queen Corp. e são usadas com permissão.
A família do autor é proprietária de uma franquia Dairy Queen.

Publicado em acordo com a Hyperion.

tradução
Marcelo Schild

preparo de originais
Débora Chaves

revisão
Isabella Leal, Luis Américo Costa e Sérgio Bellinello Soares

projeto gráfico e diagramação
DTPhoenix Editorial

capa
Miriam Lerner

pré-impressão
ô de casa

impressão e acabamento
Yangraf Gráfica e Editora Ltda.

CIP-BRASIL. CATALOGAÇÃO-NA-FONTE
SINDICATO NACIONAL DOS EDITORES DE LIVROS, RJ

M576c Miglani, Bob
Como encantar seus clientes / Bob Miglani; tradução de Marcelo Schild. – Rio de Janeiro: Sextante, 2009.

Tradução de: Treat your customers
ISBN 978-85-7542-454-4

1. International Dairy Queen (Empresa). 2. Clientes – Contatos. 3. Serviço ao cliente. I. Título.

CDD: 658.812
08-5575 CDU: 658.814

GMT Editores Ltda.
Rua Voluntários da Pátria, 45 – Gr. 1404 – Botafogo
22270-000 – Rio de Janeiro – RJ
Tel.: (21) 2538-4100 – Fax: (21) 2286-9244
E-mail: atendimento@esextante.com.br
www.sextante.com.br

Para minha família, especialmente para minha mãe,
que me ensinou a importância de agradar ao cliente.

Sumário

Introdução

Quando eu era garoto, trabalhava todos os verões na loja Dairy Queen da minha família. Na época, não passava de um divertido emprego de férias. Agora, olhando para trás, percebo que a experiência atrás do balcão de nossa sorveteria estabeleceu a base para meu futuro como homem de negócios e executivo de uma das empresas que integram a lista da *Fortune 500*. Aprender as técnicas que minha família usava para atender o público e vender sorvetes me fez compreender a importância de oferecer um serviço extraordinário ao cliente.

Eu não tinha percebido a conexão entre a sorveteria e o mundo corporativo até alguns anos atrás, quando minhas duas irmãs mais novas e eu tentamos convencer nossos pais a venderem a loja de sorvetes e se aposentarem. Eles não concordaram porque adoram o que fazem e ainda se divertem com o trabalho. Um comentário feito pela minha mãe me levou a refletir sobre minha carreira como executivo. Ela disse: "Por que deveríamos vender o negócio da família se ele nos trouxe tanta felicidade? Adoro ver os clientes sorrindo todos os dias. Vejam quanto vocês três aprenderam com a loja nesses anos todos."

Depois de pensar no assunto alguns dias, percebi que a sorveteria da família me ensinou muito mais do que eu imaginava. Na verdade, foi lá que aprendi boa parte do que sei sobre negócios. Este livro detalha as lições que absorvi ao longo de 21 anos na nossa loja da Dairy Queen e que tenho aplicado nos últimos 13 anos em meu trabalho numa empresa da *Fortune 500*. As dicas contidas aqui têm o objetivo de esclarecer alguns princípios essenciais da administração de um negócio bem-sucedido.

É verdade que as grandes corporações possuem estruturas complexas e características próprias, mas, como já trabalhei em empresas tanto de pequeno quanto de grande porte, aprendi que as semelhanças são maiores do que as diferenças, especialmente no que diz respeito ao gerenciamento de clientes e funcionários. Quando você reflete sobre isso, percebe que as questões fundamentais se resumem a umas poucas verdades.

Ao longo da minha vida profissional, já ocupei diversos cargos corporativos – de representante de vendas a diretor – e os conhecimentos que adquiri na Dairy Queen (DQ) sempre foram úteis quando tive que lidar com clientes, fornecedores, funcionários, colegas ou mesmo com meus superiores. Alguns ensinamentos me ajudaram a obter sucesso no período em que trabalhei com vendas e a superar fases difíceis, como na época em que precisei construir um network interno forte e equipes virtuais, apesar da evidente falta de autoridade e de orçamento. Tratei meus parceiros e colegas virtuais da mesma forma que trataria meus clientes na sorveteria. Construir esse tipo de relacionamento se mostrou valioso mais tarde. De qualquer modo, a lição mais importante que aprendi na sorveteria da família foi como construir uma organização (equipe, departamento ou divisão) tendo como base a satisfação do cliente.

Não é apenas sorvete – é Dairy Queen!

A Dairy Queen foi criada em 1938 em Green River, Illinois, por uma dupla formada por pai e filho que vinha testando um novo modo de fazer um sorvete à base de leite para seu negócio de laticínios. Usando a loja de um amigo como ponto de venda experimental, eles comercializaram mais de 1.600 porções em duas horas. Assim nasceu a Dairy Queen e sua forma peculiar de trabalhar com franquias.

O negócio cresceu rapidamente. Durante as décadas seguintes, as lojas em formato de celeiro da Dairy Queen começaram a pipocar em todo o Meio-Oeste americano. De

100 lojas em 1947, a rede passou para 2.600 em 1955. Hoje, são mais de 5.900 nos Estados Unidos, no Canadá e em outros 20 países. Ao longo desses 70 anos de existência, a DQ fez mais do que servir produtos de ótima qualidade. Ela se tornou uma marca conhecida, um lugar para se levar a família numa tarde de domingo, um ambiente onde os clientes são tratados como vizinhos, amigos ou mesmo parentes.

No final dos anos 1980, foram lançados novos produtos, incluindo o famoso Blizzard, que vendeu mais de 175 milhões de unidades no primeiro ano. Nos anos 1990, a rede atraiu o interesse de um cliente famoso que freqüentava a DQ de Omaha, no Nebraska: Warren Buffett. O empresário gostava tanto da Dairy Queen que comprou a companhia em 1998. "É uma ótima empresa, com ótimos produtos e ótimas pessoas", declarou ele certa vez. A aquisição feita por Buffet foi mais do que uma boa transação financeira. Ela representou o reconhecimento de algo mais importante – a força de um negócio administrado por pessoas que acreditavam em atender bem aos clientes.

Hoje, a rede de restaurantes Dairy Queen é uma das maiores do mundo. Muitas lojas tradicionais que "só vendiam sorvetes" foram transformadas e passaram a servir refeições quentes também. Uma coisa, no entanto, não mudou: o atendimento excepcional.

O perfil típico dos franqueados Dairy Queen são famílias que empregam entre 5 e 50 pessoas e que, em um dia de verão, chegam a atender 700 clientes. Meu primeiro trabalho, como o de muitos adolescentes americanos, foi na sorveteria da pequena cidade em que nasci, em Nova Jersey. Alguns anos depois, minha família comprou a sua própria franquia da DQ, e eu e minhas irmãs trabalhamos na loja desde o ensino médio até o fim da faculdade.

Nossa família não só trabalhava na Dairy Queen, como vivia intensamente a experiência. Durante o verão, ficávamos entre 10 e 12 horas por dia na loja, às vezes passando semanas sem tirar folga. Na mesa de jantar, não falávamos de outra coisa a não ser dos clientes e dos funcionários. Quem precisava de mais treinamento, quem era mais eficiente no atendimento ou que fregueses estavam se tornando mais fiéis. Nossas conversas sempre giravam em torno da loja e de como torná-la mais atraente para o cliente.

Essa atitude focada e as experiências que compartilharei com você neste livro são a bagagem profissional que carreguei comigo enquanto subia os degraus da escada corporativa numa grande empresa. Pense nesses ensinamentos como se fossem diferentes sabores de sorvete – você pode apreciar alguns e não gostar de outros. Mas, se descobrir uma lição que realmente o agrade, guarde-a com carinho. Um dia, sem planejar, você pode colocá-la em prática e obter grandes resultados em seu negócio.

1
Eles não são apenas clientes, são pessoas

O verão é, obviamente, a estação do ano mais movimentada para a Dairy Queen. E, apesar de servir sorvetes não parecer um trabalho muito estressante, atender clientes em filas enormes num calor escaldante pode tirar o bom humor de qualquer um. Em um dia especialmente quente, Mike, um de nossos funcionários, estava servindo um homem de cerca de 30 anos. O ar-condicionado estava no máximo, mas, com todas as janelas de atendimento abertas, o calor invadia a loja. O alarme de um carro no estacionamento disparou e ficou fazendo barulho por cerca de 10 minutos. Enquanto colocava os copos de sundae na sacola do cliente, Mike disse: “Qual é o problema desse cara? Será que ele não sabe desligar o alarme?” O cliente olhou atravessado para ele e falou: “Esse ‘cara’ é o meu pai e acho que ele está com dificuldades para resolver o problema com o carro." Mike ficou branco. Era nítido seu constrangimento por ter feito o comentário.

Com freqüência, esquecemos que os clientes e consumidores são pessoas, assim como nós, com sentimentos, esperanças e problemas. As coisas que nos irritam certamente os incomodam também. Na sorveteria da minha família, sempre nos esforçamos para tratar os clientes como amigos e – mais importante – como seres humanos. Se conseguimos fazer isso bem, o resultado é um atendimento extraordinário. E o melhor é que tudo acontece de modo natural, sem parecer que estamos cumprindo uma obrigação.

Um exemplo: numa tarde, apareceu uma mulher com três crianças, todas com menos de 4 anos. Ela não estava conseguindo tirar a carteira da bolsa, pois segurava o bebê, as chaves do carro e os dois copos de sorvete e a casquinha que acabara de comprar. Como havia dois clientes atrás dela na fila, sugeri que acomodasse os filhos nos bancos e depois, quando estivesse pronta, voltasse para pagar os sorvetes. Eu poderia simplesmente ter aguardado que ela me desse o dinheiro, agradecido e atendido o cliente seguinte, mas não fiz isso. Percebi que ela precisava de ajuda e me adiantei. Quando ela voltou para pagar, dei-lhe guardanapos adicionais, pois crianças tendem a se lambuzar. Ela ficou grata pela minha ajuda e ao mesmo tempo aliviada, pois os filhos estavam felizes tomando seus sorvetes.

Essa cliente foi tratada com respeito e consideração, ou seja, da forma como tratamos os amigos. Não a vi como uma "consumidora" que estava tomando meu precioso tempo. E, talvez, ela tenha deixado de pensar em nossa loja como um mero estabelecimento comercial, passando a vê-la como um local acolhedor que proporciona satisfação a seus filhos e tranqüilidade para ela.

Quando eliminamos as palavras "cliente" e "consumidor", removemos as barreiras entre "eles" e "nós". Sem nada para nos separar, podemos tratá-los simplesmente como pessoas. O resultado é que "eles" passam a gostar ainda mais do que oferecemos e se tornam clientes fiéis.

Tratar as pessoas com gentileza e educação não é apenas uma questão de bons modos – é bom para os negócios.

2
Saiba o nome dos clientes e conheça suas preferências

Na nossa loja da Dairy Queen valorizamos muito os freqüentadores assíduos, nossos clientes mais fiéis. Eles são importantes porque seu hábito de consumo é responsável por uma grande parcela do faturamento. Com o passar dos anos, minha mãe se tornou amiga de muitos deles. Ela sabe seus nomes, onde trabalham, a idade de seus filhos e suas preferências. "Karen gosta de tomar sundae de morango, enquanto Steve e a família preferem milk-shakes de chocolate aos domingos", diz ela. Sempre que eu a substituía num fim de semana ou num feriado, apareciam alguns clientes perguntando por ela: "Onde está sua mãe? Ela é sempre tão gentil e sabe preparar meu sundae como ninguém!" Esses são apenas alguns dos elogios que minha mãe recebe.

A maneira gentil como minha mãe trata a clientela fiel afeta diretamente as vendas. Por exemplo, uma mulher de mais ou menos 60 anos certa vez entrou na loja e pediu um sundae pequeno de menta com pedaços de chocolate e calda quente. Durante três ou quatro meses, ela apareceu diversas vezes para saborear seu sorvete preferido, em geral aos domingos. Nesse período, minha mãe decorou o que ela gostava de tomar. Um dia, ao vê-la estacionar na frente da loja, mamãe tratou de aprontar o sundae antes que ela tivesse a oportunidade de pedi-lo. Dali em diante, a mulher se tornou ainda mais assídua, vindo à sorveteria uma vez por semana. Com o tempo, minha mãe sabia não só seu nome como também o de seus netos e dos amigos deles. Pouco depois, os netos dela, que jogavam em um time de futebol, passaram a celebrar suas vitórias em nossa Dairy Queen.

Essa senhora certamente adorou chegar à sorveteria e encontrar seu sundae preparado, à sua espera. Deve ter apreciado o fato de minha mãe ter se importado o suficiente para prestar atenção no que ela gostava. Acredito que não teria se tornado tão fiel se não tivesse sido acolhida de forma tão atenciosa e proativa. E minha mãe não é a única pessoa com boa memória em nossa loja. Todos os empregados são encorajados a memorizar as preferências dos fregueses para que eles se sintam valorizados.

Acredito que conhecer os nomes e os hábitos de consumo dos clientes é um grande estímulo para que eles se tornem assíduos. É lógico que eles também voltam por outros motivos, por gostarem do produto ou por considerarem a localização da loja conveniente. De qualquer forma, lembrar-se de seus rostos e de suas preferências facilita a aproximação, pois os deixa à vontade com você e com seu negócio. Quando você se dedica a conhecer os clientes e a tratá-los como amigos, cria laços mais fortes com eles. E a recompensa são as compras constantes.

Clientes fiéis são cruciais para qualquer negócio, mas isso não acontece de um dia para o outro. É preciso tempo, observação cuidadosa e esforço para estabelecer relacionamentos. Quando você tiver construído essa base, trate de conhecer seus clientes ainda mais profundamente e crie programas e atividades adequados às suas necessidades, de forma que fiquem felizes e satisfeitos. Lembre-se: os freqüentadores assíduos são responsáveis pela maior parte de seu faturamento. E o primeiro passo para conquistá-los é guardar seus nomes.

3
O cliente é rei

Pergunte a qualquer pessoa que já tenha trabalhado no atendimento a clientes como ela descreveria essa experiência e ela lhe contará quanto esse trabalho pode ser desafiador. Dirá que os consumidores não sabem o que desejam, têm expectativas altas demais e querem pagar o mínimo possível. E, mesmo quando você atende suas exigências, ainda reclamam de todo o resto. Lidar diretamente com o público é um trabalho duro, que exige atitude positiva e capacidade de enfrentar situações difíceis sem levá-las para o lado pessoal. Depois de alguns anos na área de atendimento ao consumidor, os funcionários podem sofrer um forte desgaste físico e mental, tornando-se amargos, raivosos ou infelizes, o que resulta em uma postura cínica e negativa em relação aos clientes e também aos colegas de trabalho. É muito perigoso pensar que o cliente não tem importância, não é mais o rei, que, não importa quanto você o maltrate, ele continuará voltando à loja porque ainda valoriza seu produto ou serviço. É fácil cair nessa armadilha sem perceber.

Esquecer a importância de agradar aos clientes pode levar à perda do negócio, como aconteceu com um empresário que conheci. Proprietário da Jimmy's Ice Cream, uma loja vizinha à nossa DQ, Jimmy era um cara mais velho, que já estava em atividade há quase duas décadas. Imagino que ele tenha se dado bem porque antes não existia concorrência na região. Nós nunca o consideramos um verdadeiro oponente porque nossos clientes faziam observações bastante negativas sobre sua sorveteria. Diziam que Jimmy estava sempre de mau humor e que não se preocupava com limpeza.

Logo nos primeiros meses à frente da DQ, meu pai foi "conferir" como era a loja de Jimmy e voltou com descobertas interessantes. Enquanto estava lá, dois clientes foram mal atendidos. Um deles pediu um copo para colocar o sorvete de casquinha da filha que estava derretendo e Jimmy cobrou 25 centavos, para espanto do cliente. A segunda freguesa, uma senhora, pedira por engano um sundae de chocolate, quando na verdade queria de baunilha. Quando disse a Jimmy que se enganara, ele respondeu: "Bem, não é minha culpa. Sinto muito, mas já preparei seu sundae." Ela foi educada o suficiente para não discutir.

É fácil perceber que Jimmy deveria ter dado o copo para o primeiro cliente e feito outro sundae, de baunilha, para a senhora. Isso teria lhe custado um pouco mais, porém seria um preço pequeno a pagar pela satisfação dos clientes. Ele não agiu corretamente e deixou que duas pessoas saíssem da sua loja com um gosto ruim na boca.

Jimmy, obviamente, não se importava com o modo como tratava os clientes. Talvez tenha ficado preguiçoso com o passar dos anos. Ou pensasse que, como alguns clientes são inconvenientes, poderia tratar todo mundo como bem entendesse – ou seja, mal. Pensou errado. Sua sorveteria fechou cerca de um ano e meio depois que abrimos a nossa.

Embora o atendimento seja uma prioridade em nossa DQ, eu mesmo caí na "armadilha de Jimmy" há cerca de dois anos. Depois de uma semana longa e desgastante em meu emprego corporativo, fui chamado para ajudar na loja durante um fim de semana escaldante de verão. Os clientes estavam incomodados com o clima quente e úmido e não queriam esperar nem um minuto por seus sorvetes, agindo com grosseria e descontando em mim e nos outros funcionários. Inconscientemente, comecei a reproduzir esse comportamento e a responder a todos com certa aspereza, até mesmo aos clientes que estavam sendo gentis. Uma experiência ruim com um freguês pode arruinar seu humor pelo dia inteiro. Nesse dia específico, parei de sorrir e, apesar de não ter sido propriamente rude, não fui simpático com os clientes. Somente quando fechamos a loja e um dos funcionários perguntou o que estava errado é que despertei do transe negativo. Às vezes, você não percebe como está agindo até que alguém lhe chame a atenção.

Por mais difícil que seja lidar com pessoas grosseiras, nunca se esqueça de que os clientes são a base do seu negócio. Eles podem ser inconstantes, complicados, uma verdadeira dor de cabeça – mas, se não existissem, você não ganharia dinheiro. Na verdade, é tudo muito simples: você é pago para criar valor para alguém que precisa de seu produto ou serviço, independentemente do temperamento dele.

Clientes podem ser difíceis de agradar, mas não acredite se lhe disserem que eles não são importantes. São, sim – e sempre serão. E você precisa tratá-los como reis se quiser ser bem-sucedido.

4
Não deixe o cliente esperando

O ambiente de negócios atual tem um ritmo acelerado. Não importa se você está em Nova York, Dallas ou Little Rock, hoje em dia todo mundo tem pressa. O cliente típico espera que mercadorias e serviços sejam fornecidos com rapidez. De obrigações familiares, como pegar as crianças depois da escola, às exigências de uma carreira agitada, as pessoas têm sempre muito a fazer. Como prestadores de serviços, precisamos respeitar isso e entregar o que nos pedem o mais rápido possível.

A primeira lição que ensinamos a nossos funcionários é que eles precisam estar sempre atentos à chegada de um novo cliente. A segunda é que o atendimento precisa ser rápido e eficiente. O cliente não pode ficar esperando.

Quando você entra num café ou numa loja de roupas, é comum ver muitos funcionários, mas apenas um ou dois caixas atendendo uma longa fila de clientes. Não consigo entender como os gerentes desses estabelecimentos permitem que pessoas dispostas a gastar dinheiro percam tempo em filas. A demora é irritante, frustrante e, na maioria das vezes, deixa um sentimento negativo. Você corre o risco de que o cliente passe a associar sua loja a um serviço ineficiente.

A mesma coisa acontece no ramo de restaurantes. O que tentamos evitar a todo custo são fregueses frustrados. Quem sabe o que quer é atendido o mais rápido possível por nossos funcionários. É claro que pode haver filas durante o verão, mas quase sempre servimos as pessoas com rapidez.

Não adianta oferecer produtos de qualidade e não prestar um serviço de qualidade, como eu e minha mulher comprovamos recentemente. Um de nossos rituais favoritos é sair para comer pizza e tomar sorvete às sextas-feiras. Como moramos em Nova York, temos muitas opções de restaurantes, mas damos preferência a uma pizzaria acolhedora na parte baixa de Manhattan e a uma pequena sorveteria perto de uma universidade. As pessoas que trabalham na sorveteria têm pouco mais de 20 anos e combinam perfeitamente com os universitários da área. O problema é que elas conversam demais entre si. Uma noite, uma jovem atendente demorou muito a preparar meu sorvete porque estava batendo papo com uma colega, em vez de se concentrar no seu trabalho. Como esse comportamento se repetiu em outras ocasiões, paramos de ir à sorveteria. Apesar de o sorvete ser delicioso, não vale o tempo que perdemos esperando para ser servidos.

O principal objetivo de uma loja é vender algo aos clientes. É para isso que você abre as portas diariamente: para atender as pessoas que entram em seu estabelecimento. E todos os seus colaboradores devem estar preparados desde seu primeiro dia no emprego para servi-las. O treinamento é fundamental para que eles saibam como agir. Porém, não adianta ter cinco vendedores mas apenas dois caixas para receber os pagamentos – para agilizar o atendimento, todos precisam saber operar as caixas registradoras.

Os clientes precisam sentir que a loja está sintonizada com suas necessidades. Filas compridas geram uma impressão negativa, de falta de consideração com quem está esperando. A solução é criar um ambiente focado no cliente. É preciso dar atenção ao consumidor desde que ele pisa na loja até sair. É preciso recebê-lo bem, observar seus passos e escutar seus desejos. Uma equipe dedicada e entusiasmada evita que os clientes fiquem esperando. Livre-se de distrações e faça com que sua equipe se concentre no trabalho – dar um bom atendimento às pessoas. Isso deixará uma impressão positiva do seu negócio.

5
Prove seu sorvete de vez em quando

Antes de minha família ter sua própria loja, trabalhei em uma Dairy Queen da vizinhança que pertencia a uma família húngara. Barbara, a proprietária, uma loura alta de 50 anos, estava me ensinando a preparar a cobertura de morango. Na verdade, não é muito complicado: basta abrir a grande caixa vermelha de cobertura de morango pronta e acrescentar um pouco de aromatizante de morango para dar um gosto mais doce e uma cor mais viva. Quando Barbara me pediu para pegar uma colher para que ela pudesse provar a cobertura, a princípio não entendi seu objetivo. Ela achou que era preciso colocar um pouco mais de aromatizante e eu segui suas instruções. Barbara me explicou que gostava de experimentar todos os produtos para ter certeza de que os clientes estavam recebendo produtos frescos e saborosos. Sua filosofia era que, se algo não fosse bom o suficiente para o dono, também não seria para os clientes.

Eu nunca esqueci a lição de Barbara. Nos primeiros anos de nossa loja Dairy Queen, éramos tão paranóicos que provávamos quase tudo o tempo todo. Essa estratégia acabou se tornando inviável, considerando a grande variedade de produtos que vendíamos (sem falar no impacto em nossas cinturas). Agora, nossa política é testar os produtos de forma aleatória para nos certificarmos de que estão frescos e saborosos.

Aprendi a reconhecer o valor da conferência aleatória da maneira mais desagradável. Era o primeiro sábado depois do Halloween e, durante toda a semana, o clima estivera frio para a época do ano, mas o fim de semana estava quente. Eu tinha ido direto para a loja, sem tomar o café da manhã. Assim que cheguei, fiz um milk-shake de banana para mim. Depois de alguns goles, percebi que o sabor não estava bom. Conferi a data de validade do leite e vi que estava quase vencendo. Normalmente, temos um movimento tão grande que os produtos estão sempre frescos, mas é possível que o sorvete estrague – afinal de contas, é feito de leite. Fico feliz que esse incidente tenha acontecido comigo, e não com um de nossos clientes.

O fato é que de vez em quando você precisa experimentar o seu produto, independentemente de ser feito por sua equipe ou comprado de fornecedores externos. Não importa se é sorvete, comida, roupa, panela, carro, escova de dentes ou serviço: você precisa testar aquilo que vende para ter certeza de que cumpre o que promete.

E não deve ficar atento apenas aos produtos. Também tem que se preocupar com a conservação da loja e com o serviço prestado. Sou exigente e tento me colocar no lugar do cliente para compreender como ele se sente. Por isso, às vezes, entro na sorveteria e observo todos os detalhes, leio o cardápio e peço um sorvete a um dos funcionários. É claro que presto atenção nas experiências das outras pessoas, mas não fico satisfeito até que veja com meus olhos e sinta na própria pele.

Não consigo imaginar como é possível administrar um negócio, seja uma loja da Dairy Queen ou uma importante corporação da *Fortune 500*, sem se colocar no lugar do cliente. Será que dá para comandar uma empresa sem conversar com o consumidor? Recentemente, vi uma ótima entrevista com a presidente de uma grande companhia que tinha passado um dia trabalhando como vendedora em uma das lojas da rede. O programa fazia parte da série *Changing Places,* da CBS, em que altos executivos vão trabalhar lado a lado com seus funcionários na linha de frente e têm que colocar a mão na massa em setores como manufatura, linha de produção ou vendas. Ela disse que, apesar de o trabalho ser duro, achou a experiência gratificante porque conseguiu ter uma boa noção de como a empresa realmente opera. Tendo por base o dia que passou na loja, a presidente planejava fazer algumas mudanças na política da empresa.

Ir ocasionalmente à linha de frente é uma boa estratégia, pois ajuda a conhecer as peculiaridades do negócio e mostra aos funcionários que alguém no comando realmente se importa. Saber que a liderança da companhia está familiarizada com o dia-a-dia da operação eleva a confiança da equipe.

Se você deseja saber como os clientes vêem seu negócio, saia do escritório e o observe como se fosse um estranho. Tire um dia e acompanhe o trabalho de um vendedor ou de um funcionário da linha de montagem. Faça isso com freqüência suficiente para não perder de vista a realidade. Do contrário, você pode acabar vendendo milk-shakes azedos.

6

É preciso ter um padrão de qualidade

Quando preparamos uma casquinha em nossa loja da Dairy Queen, não medimos a porção apenas pela altura do sorvete. Em vez disso, colocamos o sorvete em uma pequena balança para verificar se o peso está correto, além de dar uma boa olhada para checar se está dentro dos nossos padrões de apresentação. Para ter certeza de que o padrão de qualidade é consistente, treinamos os funcionários a pesarem cada casquinha até que se sintam seguros para conferir apenas visualmente. Algumas semanas e centenas de casquinhas depois, os atendentes costumam preparar sorvetes pequenos, médios ou grandes com o peso correto, sem precisar recorrer à balança. Não é uma ciência exata, mas é o máximo de precisão que se consegue ter com esse tipo de produto.

Um dia, enquanto minha mãe treinava uma atendente, um cliente pediu uma casquinha média de baunilha. Como de costume, a funcionária em treinamento preparou o sorvete com a ajuda da minha mãe e entregou ao freguês. A casquinha estava com o peso e a aparência certos. O cliente seguinte pediu a mesma coisa, só que dessa vez a funcionária fez tudo sozinha, com minha mãe observando à distância. A casquinha não passou no "teste do olho". Estava um pouco mais larga e mais baixa e, com certeza, pesava mais do que a anterior. O cliente comparou sua casquinha com a da pessoa que fora atendida antes e percebeu que não recebera o mesmo produto. Mas, como não tinha sido prejudicado, sorriu, pagou e partiu.

Na verdade, é um pouco difícil "corrigir" o tamanho da casquinha sem desperdiçar sorvete. Ainda assim, tentamos fazer com que nossos produtos sigam um padrão preestabelecido. Nesse caso, a diferença não foi um grande problema, mas a CONSISTÊNCIA é um ponto importante no que diz respeito a lidar diariamente com clientes.

Imagine que os dois clientes que pediram sorvete de baunilha sejam amigos. Ao compararem suas casquinhas, o que recebeu a menor provavelmente acharia que foi enganado. Pense em outra hipótese: e se os mesmos clientes retornassem à Dairy Queen no dia seguinte e fossem atendidos por outro funcionário que fizesse uma casquinha média com o peso exato, mas que não parecesse tão grande quanto as que foram servidas no dia anterior? Como eles não têm como saber qual está dentro do padrão, se sentiriam enganados porque a de ontem parecia *maior*.

A questão é essa. O cliente não tem conhecimento de políticas ou procedimentos internos da empresa e não está nem um pouco interessado no que acontece nos bastidores. Seu único desejo é saber que está levando exatamente o que pagou: uma casquinha média igual à que tomou ontem e à do freguês que estava na sua frente. Só isso. Não importa se seu negócio é pequeno ou grande, sua missão é satisfazer os clientes diariamente. São muitas as chances de que algo dê errado, mas cabe a você garantir o padrão de qualidade do produto ou do serviço.

Os clientes esperam receber o que pediram: nada mais, nada menos. É por isso que eles escolhem a sua empresa. Alguns gurus corporativos pregam que é bom inovar, mas, se você não consegue entregar o produto ou o serviço com a mesma consistência, qual o valor da novidade? Não tente fazer algo extraordinário que não possa repetir. São inúmeros os negócios falidos que se baseavam em alguma "novidade" no atendimento. Os consumidores possuem certas expectativas quando telefonam para você ou entram em sua loja. Não os decepcione surpreendendo-os sempre.

Esforce-se para fornecer sempre o mesmo produto ou serviço de alta qualidade. Ser previsível nos negócios não é ruim. Os clientes virão à sua loja ou pedirão seu produto porque sabem que você irá lhes dar o que querem, sem surpresas. No fundo, isso é o que todos desejamos, não é mesmo? Uma casquinha média igual à da pessoa ao lado. Então, da próxima vez que um cliente pedir algo, dê a ele exatamente o que está pedindo. Oferecer produtos ou serviços consistentes e de alta qualidade faz com que o cliente continue batendo à sua porta.

7
Não sirva bananas maduras demais

Jessica estava trabalhando em nossa loja há alguns meses e demonstrava aprender rápido e prestar atenção às necessidades dos clientes, atendendo-as com agilidade. Certo dia um cliente antigo veio à loja e pediu uma banana split. Jessica começou a prepará-la, mas percebeu que as bananas estavam maduras demais. Ela me perguntou se eu achava que estavam boas para servir ou se deveria ir até o depósito pegar frutas mais frescas. Olhei para as bananas e achei que pareciam boas. Elas não estavam moles nem com a casca escura, estavam apenas maduras. Eu as teria comido sem problemas. Ao verificar nosso depósito nos fundos da loja, notei que tínhamos uma caixa cheia de bananas igualmente maduras. Ou seja, precisávamos vender as que estavam no balcão, do contrário teríamos que jogar todas fora em um ou dois dias. Disse a Jessica para seguir em frente e usar aquelas mesmo.

O cliente que ela atendeu voltou alguns dias depois. Enquanto eu o servia, perguntei se gostara da banana split que pedira da última vez. Ele respondeu que estava boa, mas pelo tom de sua voz percebi que estava sendo educado e que, na verdade, tinha algum comentário a fazer. De maneira franca e casual, disse a ele que estava perguntando porque achava que podíamos ter lhe servido uma banana madura demais e gostaria de saber sua opinião. Surpreso por eu me lembrar de um detalhe tão pequeno, ele confessou que a banana split não estava tão gostosa quanto de costume. Agradeci sua opinião e lhe assegurei, em tom de brincadeira, que só receberia "bananas perfeitas" no futuro.

Ao longo de um único dia de trabalho, precisamos tomar inúmeras decisões em frações de segundo, levando em consideração diversos fatores, entre eles o cliente, o proprietário do negócio ou o superior imediato, questões financeiras, a equipe, os fornecedores e até a comunidade. Algumas vezes são pequenos detalhes, como a banana madura demais. Outras vezes enfrentamos situações mais complicadas. Eu errei na questão da banana. Atribuí um peso maior ao meu desejo de não perder dinheiro do que às necessidades do cliente, quando devia ter me preocupado em oferecer a melhor banana split possível.

Não se iluda. O consumidor reconhece um bom produto quando o vê ou prova. Por isso, você precisa dar o seu máximo – sempre. Ele está disposto a lhe dar seu dinheiro suado, mas, em troca, quer qualidade. Então trate de fazer o que é certo e dê ao cliente o que ele quer. Não sirva bananas maduras demais. Se, por algum motivo, cometer um erro, assuma a responsabilidade e corrija a situação de modo a deixar o cliente satisfeito. Seja gentil e lhe ofereça algo. Peça desculpas. Ele ficará grato e seu negócio será beneficiado.

8
Nunca se esqueça da boa e velha baunilha

No começo dos anos 1990, a Dairy Queen passou a enfrentar uma forte concorrência. As novas marcas não só ofereciam sabores diferentes (chocolate chip cookie dough, fudge brownie e screwy strawberry) como lançaram o frozen yogurt, uma novidade que tomou conta do mercado de uma hora para outra. Quatro em cada 10 clientes pediam frozen yogurt ou algum sabor exótico. E, apesar de a Dairy Queen estar bem estabelecida há 50 anos, não tínhamos inovado como os competidores menores e mais ágeis, pois demoramos a perceber a rápida transformação nos hábitos de consumo. Resolvemos, então, aderir ao frozen yogurt e criamos algumas novas sobremesas, como o Blizzard – sorvete misturado com outros ingredientes, como chocolates ou biscoitos –, mas continuávamos crescendo mais lentamente que os recém-chegados ao ramo.

Minha irmã mais nova, que era adolescente nos anos 1990, queria que eu convencesse nossos pais a aumentar a variedade de sabores. Um dia segui seu conselho e consegui encomendar os sorvetes mais populares entre os clientes da sua geração. Eles fizeram sucesso por alguns meses, mas não da maneira que imaginávamos. Lembro que, num fim de semana de verão, estocamos uma quantidade tão grande desses sabores que nos esquecemos de encomendar o bom e velho sorvete de baunilha. E imagine só: baunilha foi o sabor mais pedido naqueles dois dias. E tinha acabado.

Não importa quanto um novo sabor seja "quente", a maior parte das pessoas prefere baunilha. Ninguém fala mais sobre aqueles sabores loucos. Na verdade, a Dairy Queen suspendeu as vendas de frozen yogurt na maioria das lojas nos Estados Unidos por falta de demanda. Mas baunilha e chocolate continuam até hoje entre os cinco sabores mais pedidos da rede.

É fundamental não perder de vista o produto ou o serviço que é a alma do seu negócio, que deu fama à sua empresa e que as pessoas associam à sua marca, além de ser sua principal fonte de faturamento. Isso não significa que você não deve fazer experiências com base nas novas tendências e nos anseios dos clientes, mas não se esqueça da galinha dos ovos de ouro – o bom e velho sorvete de baunilha.

9

Sempre substitua a casquinha que caiu no chão

Todo mundo já testemunhou a cena: a mãe entra na sorveteria com os três filhos pequenos e compra uma casquinha para cada um. Depois de pagar, sai com as crianças em direção a um dos bancos ao ar livre e, no caminho, uma das crianças deixa o sorvete cair no chão. O sorriso de felicidade se transforma em uma expressão de horror – ou, pior ainda, em lágrimas. A mãe volta e pede outra casquinha. Quando um dos novos funcionários vai receber o dinheiro, eu digo que não é preciso. Citando nossa "política" de que todas as crianças devem voltar felizes para casa, dou a casquinha de graça para a mãe. Grata e agradavelmente surpresa, ela leva o sorvete para o filho ou a filha que aguarda ansiosamente. Essa situação se repete meia dúzia de vezes por mês, e nós sempre oferecemos uma nova casquinha.

Mesmo que não tenhamos mais em estoque o sabor pedido, tentamos compensar oferecendo gratuitamente uma porção de calda quente ou de creme chantilly para acompanhar o novo sorvete. Por que fazemos isso? Porque essa atitude ajuda a construir uma boa imagem da loja e também porque é a coisa certa a se fazer.

Muitos empresários agem da mesma forma. Conheço uma empresa de vendas por catálogo que envia os produtos sem qualquer custo se não tiver aquele que o cliente pediu no ato da compra, e um fabricante de sapatos que troca o produto caso apresente algum defeito mesmo depois de meses de uso.

É melhor sacrificar os lucros a curto prazo em favor da imagem do seu negócio a longo prazo. Ao substituir a casquinha que caiu no chão ou enviar o produto gratuitamente, você não só estará deixando seu cliente feliz como também fazendo a coisa certa.

10
Você quer chantilly e castanhas?

A maioria dos clientes parece estar sempre com pressa. Quando percebemos que uma pessoa que estamos atendendo está atrasada para um compromisso ou sem tempo para conversas, somos objetivos: damos exatamente o que ela pediu para que possa ir embora logo. Fazer um bom atendimento com rapidez é uma tarefa bastante difícil. Além disso, limita a oportunidade que você poderia ter com esse consumidor em particular. Durante o treinamento de um novo funcionário, nos concentramos na interação com o cliente. Para isso, ensinamos aos atendentes a técnica de aumentar o valor da venda oferecendo produtos relacionados.

O sundae básico da Dairy Queen é feito apenas com sorvete e uma calda de fruta ou de chocolate, para não mascarar o sabor natural do sorvete. Mas isso não significa que todo mundo precisa tomar seu sundae dessa forma. O cliente *pode* modificar o produto como quiser, incluindo chantilly, castanhas, confeitos ou qualquer outra coisa. Na verdade, em nossa loja, é padrão perguntar a todos os clientes se querem "chantilly ou castanhas". Tentamos fazer a oferta de forma que pareça apetitosa e estimulante para os sentidos. Alguns clientes recusam educadamente, mas a maioria aceita a cobertura extra, gerando um pouco mais de lucro para nós.

Ganhar 50 centavos a mais em cada sundae é importante porque atrair o cliente até à loja é uma tarefa difícil – então, quando ele está lá, é preciso aproveitar a oportunidade para tentar aumentar a venda. Em geral, na DQ, levamos um a dois minutos para servir o cliente. Quando incluímos algum produto adicional, gastamos apenas alguns segundos a mais, porém obtemos um lucro extra de cerca de 5% na venda.

O treinamento da equipe é muito importante para que essa estratégia seja bem-sucedida. Estimule seus funcionários a oferecer algo a mais a todos os clientes que entrarem na loja. Tudo bem se eles recusarem, mas você nunca saberá se não perguntar. Um bom plano de vendas é fundamental em qualquer negócio – e pode fazer maravilhas pelo seu faturamento.

11
A cereja é sempre grátis

Mas como podemos ensinar os funcionários a aproveitar todas as possibilidades para fazer uma boa venda? Depois de anos trabalhando tanto na Dairy Queen quanto em uma grande corporação, aprendi que o segredo de uma venda bem-sucedida é *uma conversa focada na emoção associada ao produto ou ao serviço.*

Depois de colocar o chantilly e as castanhas no sundae, costumamos finalizar com uma cereja no topo. Por algum motivo, as pessoas se sentem bem quando você coloca a cereja. Pode parecer bobagem, mas é quase como se o sundae não estivesse completo sem ela.

Já tendo servido milhares de sundaes ao longo dos anos, posso garantir que sempre percebo um brilho diferente nos olhos das pessoas que optam pela cobertura extra. É como se elas dissessem: "Isso, sim, é um sundae!" É esse sentimento que desejamos criar no cliente. Não se trata da cereja em si, mas das doces lembranças associadas ao produto. Esse tipo de memória sensorial pode realmente fazer a diferença.

Qualquer um pode perguntar "Você gostaria de chantilly, castanhas e uma cereja?", mas adotar um tom mais coloquial e dizer algo do tipo "Que tal um pouco de chantilly, castanhas e cereja para incrementar seu sundae?" permite que o vendedor se aproxime do cliente. Minha abordagem favorita é: "Quer o serviço completo: chantilly, castanhas e, é claro, uma cereja?" Ao oferecer produtos extras numa conversa casual, chega-se muito perto de ouvir um "sim" em 90% dos casos.

É fundamental envolver o cliente, conversar com ele. A cereja é menos importante do que a emoção que você associa ao produto ou serviço que está oferecendo. No universo das sorveterias, o que simboliza um sundae "completo" é a cereja. Em outros negócios, pode ser a forma como você aborda o cliente ou realiza o serviço. Ao estabelecer uma relação com o consumidor e associar o benefício de seu produto ou serviço a um sentimento positivo, você aumenta suas chances de ser bem-sucedido.

Um fabricante de perfumes nunca revela quais são os componentes da sua fórmula. Diz apenas que eles farão com que você se sinta másculo (se for homem) ou bonita e sensual (se for mulher). Não é por acaso que os anúncios de automóveis costumam se concentrar na experiência do motorista dirigindo por praias belíssimas ou por florestas ao pôr-do-sol. Ao oferecer a seu cliente uma cereja no topo do sundae, você não apenas o deixa feliz como transforma seu negócio em um sucesso.

12
Sorria e faça sorrir

Todo dia vemos centenas de clientes entrando e saindo de nossa loja: alguns são calmos e bem-humorados; outros, apressados e ansiosos. É provável que o primeiro pensamento da maioria ao entrar na loja, ou em qualquer estabelecimento comercial, seja algo como: "Espero que o vendedor preste atenção às minhas necessidades e me dê o que quero sem maiores transtornos."

A verdade é que o primeiro contato com o cliente é muito importante. O ideal é que os funcionários recebam as pessoas com um sorriso e uma saudação calorosa e amigável, como "Oi, como vai?" ou "Tudo bem com você?". Apesar de não haver nada de errado em dizer "Olá, em que posso ajudá-lo?", um cumprimento casual tende a deixar o cliente mais à vontade, pois transmite um toque pessoal e faz com que ele sinta que não é apenas mais um consumidor.

Nos Estados Unidos, os grandes varejistas institucionalizaram o cumprimento formal quando contrataram recepcionistas para saudar os clientes logo na entrada de suas lojas. Apesar de ser uma excelente maneira de dar um toque humano a um estabelecimento gigantesco, com o tempo pode se tornar impessoal.

Receber clientes com um sorriso é uma atitude importante porque define o tom do que virá pela frente. Seja ao telefone ou pessoalmente, transmitir um sentimento positivo para o cliente é fundamental para fazê-lo feliz. Um sorriso pode passar mensagens diferentes: atenção, confiança, entusiasmo, abertura e iniciativa. Quando você sorri para os clientes, é como se estivesse se comprometendo a atender às expectativas deles e garantindo que vai lhes proporcionar uma experiência agradável.

Faça um esforço para que o primeiro contato entre cliente e funcionário seja amigável e caloroso. O cliente precisa se sentir à vontade e a conversa não deve parecer mecânica, um mero ato de receber o pedido e entregar o produto. Uma boa acolhida mostra quanto seu estabelecimento é especial. E, ao receber as pessoas com um sorriso, você abre caminho para que elas saiam da loja sorrindo também.

13
O chefe não é o cliente

Jonathan era alto para um rapaz de 16 anos. Ele veio se candidatar a um emprego acompanhado da mãe, uma senhora simpática e de bem com a vida. Por causa de sua altura, as pessoas pareciam esperar que Jonathan fosse durão e falasse alto. Mas descobrimos que ele era tímido e tinha uma voz suave. Quando começou a trabalhar, mostrou ser um garoto comportado, que seguia as instruções nos mínimos detalhes e mantinha-se atento às políticas da loja. Não era do tipo que causava problemas ou vivia reclamando de tudo.

Contudo, depois de umas duas semanas, começamos a ouvir reclamações de clientes antigos sobre o atendimento prestado por Jonathan. Investigando com mais cuidado, descobrimos que ele fazia as coisas que lhe pedíamos *somente* quando estávamos por perto. Na nossa frente, cumprimentava apropriadamente os fregueses, limpava os balcões, recarregava as máquinas e ajudava os outros funcionários. Mas, quando não estávamos lá, ficava nos fundos da loja, mesmo que o movimento estivesse grande, demorava no preparo dos produtos e deixava tudo sujo e bagunçado.

Confirmei seu mau comportamento ao fazer uma visita-surpresa e flagrá-lo agindo de maneira inapropriada. Quando perguntei a Jonathan o que estava acontecendo, tudo o que consegui foi um sorriso defensivo, sem contato visual. Depois de conversar a respeito do problema, percebi que sua intenção não era nos prejudicar. Ele simplesmente não havia compreendido qual era de fato seu papel. Para ele, o objetivo do emprego era fazer com que eu e minhas irmãs ficássemos felizes, enquanto o verdadeiro propósito era deixar os clientes felizes.

Como ninguém ganha dinheiro só com boas intenções, Jonathan precisava mudar seu comportamento a respeito do trabalho. Expliquei que sua função não era me impressionar, e sim causar uma boa impressão nos clientes. E, para isso, era necessário servir produtos de qualidade e oferecer um atendimento nota 10. Se ele conseguisse satisfazer o cliente, então eu, como proprietário, ficaria satisfeito. Esse é o princípio mais simples do mundo dos negócios, mas é preciso comunicá-lo de maneira clara e direta.

Com freqüência, esquecemos de explicar isso aos funcionários ou deixamos margem a dúvidas sobre quem é o verdadeiro cliente. Alguns empregados tendem a achar que devem servir, em primeiro lugar, seus supervisores porque dependem deles para conseguir um aumento de salário. Muitas apresentações são elaboradas com o único propósito de impressionar os gerentes. Mas um bom chefe sabe que bajulação não aumenta as vendas, apenas desperdiça tempo e recursos.

Os colaboradores precisam ter clareza do propósito de seu trabalho. Se eles não souberem quem é o cliente, tentarão agradar o chefe. Por isso, cabe aos gerentes definir os objetivos a serem alcançados: a satisfação dos clientes, a qualidade dos produtos ou uma logística eficiente. Os funcionários esperam que a empresa trace metas e aponte a direção que devem seguir, mesmo que na vida pessoal não sejam tão organizados.

Em nossa loja, a abordagem é simples: todos os clientes devem ter uma boa experiência depois de consumir produtos de qualidade e receber um atendimento de alto nível. Tudo o que os funcionários fazem deve girar em torno daquela expressão simples que demonstra a satisfação do freguês – um sorriso. A menos que você deixe isso claro para os membros de sua equipe, eles farão o que acharem mais importante. E, da mesma forma que Jonathan, podem cometer o erro de colocar o patrão antes do cliente. Como sem consumidores não há negócio, funcionários ou chefes, diga e repita sempre que puder que o chefe não é o cliente – o *cliente* é o cliente.

14
Torne-se um especialista em tortas

Nos primeiros anos da nossa loja da Dairy Queen, torta de sorvete não era um produto popular. Quando nossos principais concorrentes começaram a divulgar em larga escala suas tortas de sorvete com desenhos de palhaços, fotos de crianças e outras coisas, um número crescente de clientes se mostrou interessado nessas novidades. A torta tradicional da DQ é feita com sorvete, uma camada de calda com crocante e algumas flores decorativas. Só isso – bem simples. Mas os clientes queriam tortas com formatos especiais e imagens de personagens de desenhos animados.

Essa moda nos pegou de surpresa e, infelizmente, precisamos recusar muitos pedidos porque não tínhamos esse know-how. Fazer tortas customizadas era caro, complicado e exigia enorme dedicação. No entanto, com o passar do tempo, a demanda só aumentou e começamos a perder muitas vendas para a concorrência. Era preciso descobrir como lidar com esse novo mercado. Assim, decidimos contratar uma consultora para nos ensinar a fazer o tipo de torta que os clientes queriam. Ela ficou conosco apenas por duas semanas. Apesar de bem remunerada, nunca chegava na hora e, já na primeira semana, ameaçou ir embora a menos que lhe pagássemos mais. Minha mãe não tolerou esse tipo de extorsão e eu também não. Mas ainda tínhamos um problema para resolver: como lidar com a demanda por tortas especiais?

Pouco tempo depois, numa tarde de sábado, minha irmã mais velha entrou em nossa loja da Dairy Queen justamente quando uma freguesa perguntava se fazíamos tortas de sorvete decoradas com palhaços e balões. Num impulso, ela respondeu que sim. "Pode vir buscar amanhã", disse. Com uma atitude positiva, minha irmã resolveu tentar e se saiu muito bem. Ela sempre gostou de fazer experiências na cozinha, especialmente na área de doces, bolos e biscoitos. Tinha um talento natural, mas nunca fizera qualquer tipo de treinamento.

Depois do sucesso dessa primeira torta, concordamos que ela deveria se tornar nossa especialista e que deveria ter aulas para aperfeiçoar a técnica. E foi o que ela fez. Após um curso rápido de decoração de bolos, ela adquiriu confiança para tentar coisas novas. Quando os clientes descobriram que nossa loja estava fazendo tortas de cores vibrantes, com formas e desenhos inovadores, as vendas aumentaram de maneira espantosa.

Aprender e se adaptar às novas tendências e tecnologias é essencial para obter sucesso nos negócios. Em qualquer ramo de atividade, os clientes estão ávidos por novidades. No nosso caso, não tínhamos, inicialmente, o conhecimento necessário para satisfazer a nova demanda por tortas de sorvete especiais. Por isso, resolvemos aprender essa nova "tecnologia" para gerar mais oportunidades de negócios. Podemos ter tropeçado no começo, mas acabamos descobrindo como incorporar o novo produto ao nosso cardápio em nossos próprios termos – e tivemos sucesso.

Todos os dias, a tecnologia possibilita outras maneiras de fazer as coisas ou de criar produtos. Não basta se adaptar às mudanças, é preciso implementá-las com vigor incorporando-as ao dia-a-dia dos negócios. É claro que poderíamos ter contratado alguém para trabalhar nessa nova área – um consultor funciona em alguns casos –, mas queríamos manter essa vantagem competitiva por meio do treinamento de alguém da equipe.

O fundamental é não temer as mudanças. São elas que tornam o negócio divertido e nos forçam a aprender coisas novas. Abrace as oportunidades educando a si próprio e também a sua equipe. Caso contrário, continuará vendendo as mesmas tortas de sempre.

15

Cobre o preço justo

Uma das tarefas mais difíceis na vida de um empresário é a atualização da tabela de preços, de modo a ajustá-la à realidade do mercado. Como definir o preço é um ponto-chave para o sucesso de qualquer negócio, todo ano avaliamos nossa linha de produtos e decidimos quais devem ter seus preços aumentados, mantidos ou até mesmo reduzidos. Mas a verdade é que, a cada ano, fica mais complicado tomar essa decisão. Os custos de mão-de-obra e de suprimentos não param de subir, mas, por outro lado, o mercado está cada vez mais competitivo. É preciso buscar o equilíbrio, levando em conta a necessidade de aumentar os preços mas também pesando o risco de os clientes decidirem comprar em outro lugar. Ao cogitar alterar os preços, devemos considerar quatro fatores:

1. **Concorrência.** Nosso principal concorrente fica a uma distância razoável, por isso não nos preocupamos muito com este ponto. Mesmo quando havia uma Häagen-Dazs na nossa rua, nunca sentimos necessidade de reduzir os preços para manter a clientela. A fidelidade de nossos clientes está ligada à qualidade dos produtos e ao bom atendimento. Isso não significa que podemos cobrar preços altos. Devemos cobrar o valor justo.
2. **O teste do arredondamento.** Em geral, os clientes não se lembram de preços, a menos que sejam informados por meio de propaganda ou promoções. Se você perguntar a uma pessoa na rua qual é o preço de um sundae, ouvirá uma grande variedade de respostas. A maioria dirá que custa "uns R$ 5,00", quando o preço é R$ 4,75. Poucas pessoas acertam o preço exato, a tendência é arredondar para cima ou para baixo. Assim, quando definimos os preços dos produtos, geralmente arredondamos para cima quando achamos que isso não vai afugentar os clientes. Portanto, se um sorvete custa R$ 2,85, é possível aumentá-lo para R$ 2,90 ou para R$ 2,95, pois ele continuará custando "em torno de R$ 3,00", embora, para nós, signifique um aumento de 1,75% ou de 3,50%.
3. **Pesquisa de mercado.** O fato de sermos uma sorveteria não significa que não façamos pesquisas de

mercado para nos orientar em nossa política de preços. A equipe regional de marketing da DQ nos informa com regularidade sobre tendências dos consumidores, preços competitivos e outras coisas. Apesar de importante, isso não costuma influenciar muito nosso dia-a-dia por causa das enormes diferenças de uma cidade ou região para outra. Usamos a pesquisa da DQ basicamente para avaliar se estamos muito fora do padrão.

4. **O teste de culpa da mamãe.** Nenhum dos outros fatores é válido se não passar pelo teste de culpa da mamãe. Afinal, ela atende centenas de pessoas todos os dias, muitas delas até quatro vezes por semana. Com o tempo, minha mãe passou a conhecer os fregueses e desenvolveu um senso de responsabilidade em relação a eles. O teste é simples: se ela considera o preço alto demais para a maioria dos clientes, nada de aumento. Minha mãe leva em conta os sentimentos das pessoas na hora de decidir. Ela quer fazer a coisa certa. Sabe aquela sensação, quase um instinto, que vem à tona quando tomamos decisões importantes? Esse teste consiste em prestar atenção a essa sensação na hora de decidir. Você precisa sentir que não está trapaceando os clientes, que está sendo justo. Não pode ter vergonha de seus preços. E, se estiver cobrando caro, se sentirá culpado.

Certa vez, eu quis aumentar o preço de nossos cinco produtos mais vendidos. O reajuste era de cinco centavos, mas teria um impacto significativo em nossos lucros. No entanto, minha mãe não deixou, argumentando que não conseguiria olhar os clientes nos olhos se fizéssemos aquilo. Para que chegássemos a um acordo, não aumentamos os preços de todos esses cinco produtos, só de alguns.

Para definir o preço de seus produtos, não é preciso fazer cálculos sofisticados nem dominar técnicas complicadas. Basta usar as ferramentas de análise de mercado, ter discernimento e senso de justiça. Não engane as pessoas, mas também não hesite em fazer o que for melhor para a saúde financeira da sua empresa. Seja justo com os clientes e você sairá ganhando.

16
Sempre existe algo precisando ser limpo

Os dias de chuva são lentos para as sorveterias. Mas os funcionários não precisam ficar à toa, encostados no balcão e batendo papo enquanto esperam por clientes. Isso pode parecer natural em outros estabelecimentos, mas não em nossa loja. Estamos em constante movimento, pois acreditamos que sempre há algo que precisa ser feito. Quando você trabalha com dezenas de sabores de sorvetes, caldas, sobremesas, copos e colheres, entre outros itens, sempre existe algo precisando ser limpo ou reabastecido. E, quando você se ocupa, o tempo passa rapidamente. Nós estimulamos os funcionários a adotarem essa política por meio de uma frase que usamos de vez em quando: "Quando é hora de se encostar, é hora de limpar."

A idéia é encorajar os funcionários a permanecerem envolvidos com o negócio. Nós fazemos isso designando tarefas para os períodos de menor movimento, tais como limpar as prateleiras, organizar o estoque, treinar decorar bolos ou inventar novas sobremesas. Seja qual for a tarefa, o objetivo é ter funcionários produtivos. Os mais proativos descobrem, por conta própria, coisas criativas que possam ser feitas para agregar valor ao negócio. Mas alguns precisam de estímulo, pois não sabem ao certo o que fazer. É aí que entra a máxima: "Quando é hora de se encostar, é hora de limpar."

É importante criar políticas que encorajem a ação e que motivem sua equipe a seguir sempre em frente e tomar iniciativas. Não só para passar o tempo, mas também para se preparar para o movimento intenso depois da chuva. Minha mãe se irrita quando os funcionários ficam batendo papo ou parados com as mãos nos bolsos. Ela os estimula a descobrirem coisas para fazer, porque sempre há muito a ser feito. Você só precisa ter interesse, ser esperto e olhar em volta para descobrir.

Nossa experiência mostra que algumas pessoas ficam um pouco preguiçosas quando não há clientes, e essa atitude desinteressada pode acabar influenciando tudo o que fazem no ambiente de trabalho. Para desencorajar esse tipo de comportamento, damos aos funcionários pequenos projetos que os treinarão em áreas diferentes do negócio. Isso os ajuda a crescer e a se tornarem indivíduos produtivos. O objetivo é criar um ambiente onde todos da equipe permaneçam motivados.

17
É preciso ter paixão pelo trabalho

Nos verões, minhas irmãs e eu abrimos mão dos fins de semana de folga de nossos empregos para fazer uma coisa que meus amigos no mundo corporativo nunca fariam: trabalhar atrás do balcão na loja de nossos pais. Fui questionado diversas vezes sobre por que fazia isso, já que a loja tinha funcionários suficientes para dar conta do trabalho. Sim, em parte, porque nos sentimos culpados sabendo que, se não formos, nossa mãe ficará de pé na loja o dia todo vendendo sorvetes. Outro motivo é que somos um pouco viciados. Estamos tão acostumados a ir à loja todos os fins de semana que ficamos sem saber o que fazer com o tempo livre quando não precisamos ir.

De qualquer modo, o motivo mais estimulante é que amamos nossa sorveteria. Ela nos força a pensar de forma diferente, a ser criativos, a enfrentar novos desafios. Amamos o sorriso no rosto de uma criança ao provar um sorvete pela primeira vez. Sentimos orgulho da maneira como nosso negócio aproxima as famílias, fazendo com que saiam de casa e desfrutem uma brisa de verão e uma deliciosa sobremesa. Não é fácil administrar uma empresa familiar, especialmente quando estamos lidando com tantas prioridades ao mesmo tempo. Fazemos isso porque o negócio também nos aproxima como família. E, por fim, porque vendemos um produto de qualidade, do qual gostamos muito, em um ambiente agradável e amigável.

Ame seu trabalho. Antes eu achava que um bom salário era o único requisito de um emprego satisfatório. Hoje não acredito mais nisso. Minhas irmãs e eu não ganhamos nada na loja da Dairy Queen de nossos pais, e ainda assim amamos trabalhar lá.

É preciso ter paixão. Levantar de manhã com o propósito de agregar valor a alguma coisa, se enquadrar numa situação e saber que as pessoas vão sentir sua falta caso não apareça. Para ser bem-sucedido em um negócio, é necessário considerar o trabalho interessante, excitante, desafiador ou, pelo menos, divertido. Seu trabalho deve ser envolvente para que você tenha vontade de realizá-lo cada vez melhor. Você tem que acreditar no que está vendendo. Aos seus olhos, seu produto ou serviço pode não ter o mesmo apelo de uma banana split da Dairy Queen, mas, pela perspectiva do cliente, pode ser justamente o que ele ou ela quer. Você precisa amar seu trabalho.

18
Trate bem seus colaboradores

Nossa família possui muitas regras não escritas que foram absorvidas por mim desde a infância. Uma delas diz que devemos oferecer um copo d'água, um suco ou um refrigerante a qualquer pessoa que entre em nossa casa – independentemente de ser um vizinho, o entregador de jornais ou o eletricista. Minhas irmãs e eu sempre seguimos essa norma de etiqueta e a estendemos às pessoas com quem trabalhamos na loja – especialmente os entregadores que nos visitam duas vezes por semana.

Esses profissionais realmente trabalham duro, principalmente durante o verão. Carregam pesadas embalagens de leite, de sorvete e muito mais. Às vezes, estamos ocupados e não dá para conversar quando eles vêm entregar nossos pedidos, mas tentamos arranjar tempo para conhecê-los um pouco melhor e *sempre* perguntamos se querem algo gelado para beber, como um milk-shake. Em um dia quente de verão, quase todos aceitam o milk-shake e ficam muito gratos. Com o passar dos anos, meus pais desenvolveram uma relação pessoal com os entregadores, uma relação de amizade. Para eles, tratá-los dessa forma é natural.

Muitas vezes, essa gentileza profissional nos ajudou a resolver situações difíceis, como a falta de um sorvete específico antes de um feriado. Isso é um pesadelo e geralmente o fornecedor não tem como enviar o produto porque os motoristas costumam folgar nos feriados. Mas, se ele encontrar um motorista disposto a fazer o trabalho, autoriza a entrega. Nossos entregadores já se dispuseram a nos fazer favores porque sabem que os valorizamos. Eles se esforçam porque os tratamos bem – não como simples entregadores, mas como amigos.

Trate bem seus colaboradores e fornecedores porque é correto e também porque é bom para seu negócio. Manter uma relação de respeito e gentileza com esses profissionais torna seu trabalho mais fácil e garante que as operações da empresa fluam bem. Tudo é possível quando você tem uma boa relação com as pessoas ao seu redor.

19
Invista em treinamento

No segundo ano de nossa loja da Dairy Queen, enfrentamos um grande problema. Só tínhamos um funcionário experiente. Contratamos seis pessoas novas para a equipe, mas elas ainda não estavam treinadas e o verão se aproximava rapidamente. Nosso método tradicional de treinamento era "prático", o que significava que o novato começaria a atender os clientes com minha mãe e a aprender na hora. Esse era um processo lento, pois cada freguês escolhia uma sobremesa diferente, de forma que o funcionário só tinha uma ou duas oportunidades por dia de fazer cada item (por exemplo, um sundae com calda quente).

Atender centenas de clientes ao longo de um mês assegurava que os novos funcionários aprenderiam a fazer todos os itens de nosso cardápio. Mas tínhamos seis novatos –

praticamente toda a equipe – em turnos diferentes, o que significava que, na melhor das hipóteses, eles só estariam prontos dentro de quatro ou cinco semanas. Ficou claro que nosso método de treinamento precisava mudar. Necessitávamos de pessoal pronto para trabalhar imediatamente.

Normalmente, abrimos a loja às onze e meia da manhã. Propus aos meus pais que os recém-contratados chegassem às nove da manhã de sábado e fossem treinados por duas horas. Assim, poderíamos ensiná-los a fazer tudo, de uma casquinha a um sundae, além de mostrar a eles como limpar a loja e atender os clientes. Eles poderiam fazer perguntas e anotações como lhes conviesse, sem se preocupar com as pessoas na fila de espera. "Por que eles viriam numa manhã de sábado só para serem treinados?", perguntou minha mãe. "Porque estaríamos pagando", respondi. "De jeito nenhum! Não pagarei aos funcionários para virem aqui e não atenderem ninguém", protestou ela.

Precisei de alguns minutos para convencer minha mãe e meu pai de que aquela não era apenas uma boa idéia, mas a nossa *única* opção – se quiséssemos ter uma equipe pronta para trabalhar, é claro. Todos vieram por duas horas nas manhãs de sábado por três semanas. Com esse treinamento expresso mais a prática ao lado de alguém experiente, eles ficaram preparados em tempo recorde.

Seus funcionários representam você, sua empresa e seus produtos e serviços. Portanto, não deixe de investir neles.

Seja no fim de semana ou no meio da semana, treine-os. Dedique algum tempo para conversar com as pessoas sobre o que estão fazendo e ofereça encorajamento e orientação sobre como melhorar. Como gerentes e homens de negócios, nossa principal função é ajudar os funcionários a melhorar suas habilidades, pois isso facilita a obtenção do sucesso profissional.

Se você acredita que sua equipe é um patrimônio importante, demonstre isso investindo em treinamento. Não precisa ser um workshop para executivos em Harvard. Pode ser algo tão simples quanto convidar os funcionários para tomar um café com você no meio da tarde. Faça algo que estimule o crescimento profissional deles, de preferência em um ambiente tranqüilo, longe da correria do dia-a-dia. Esse é o tipo de investimento que traz um ótimo retorno para você e seu negócio, além de deixar seu pessoal mais preparado para lidar com os clientes em qualquer situação.

20
Cuide bem das máquinas

Máquinas de sorvete são enormes, caras e uma tremenda dor de cabeça quando não funcionam. Por algum motivo, elas sempre dão problema no auge do verão, quando há 20 pessoas esperando na fila. O proprietário anterior nos ensinou a fazer a manutenção, mas não disse que, ocasionalmente, elas deixariam de funcionar na pior hora possível. Uma máquina nova de sorvetes consome muita energia e pode custar algo entre 10 e 30 mil dólares. Ela pode durar até 20 anos, mas exige cuidado intensivo para que funcione sem interrupção.

Aprendemos essa lição da maneira mais difícil quando a máquina de sorvete de baunilha quebrou. O sabor baunilha é o mais popular, pois é usado em tudo – bananas split, casquinhas e sundaes. Eram duas horas da tarde de um domingo de verão quando a máquina começou a fazer barulhos estranhos e parou de funcionar. Como todo domingo é movimentado, aquele não foi uma exceção. Todo mundo queria sorvete de baunilha. Perdemos alguns clientes, mas conseguimos persuadir a maioria a escolher outros sabores igualmente deliciosos.

No dia seguinte, a máquina estava consertada, mas era inaceitável perder clientes porque não tínhamos feito um bom trabalho de manutenção. Segundo o técnico, bastava lubrificar a máquina a cada duas semanas para evitar esse tipo de incidente. A falta de manutenção prejudicou as vendas e minou nossa credibilidade com os clientes. Muitos não se incomodaram com a máquina quebrada, mas outros ficaram decepcionados com a impossibilidade de tomar seu sorvete predileto.

Para funcionar bem, cada empresa depende de algum tipo de equipamento, seja uma rede de computadores, uma instalação industrial sofisticada ou uma simples caixa registradora. As máquinas são essenciais e devem ser mantidas em funcionamento a qualquer custo. Perder clientes por causa de equipamentos defeituosos é um desastre que, na maioria dos casos, pode ser evitado. Cuide bem de seu patrimônio e ele cuidará bem de seu negócio.

21
Fique atento ao que acontece ao seu redor

Como a maioria das lojas, nossa Dairy Queen tem períodos de pouco movimento. Logo depois de inaugurar a sorveteria, meus pais decidiram instalar uma televisão para entretê-los enquanto limpavam a loja e cuidavam do estoque quando não havia clientes. Desde então, um dos rituais da família é assistir à previsão do tempo no telejornal da tarde. Saber como será o clima durante a semana nos permite programar o estoque. Se a previsão for de sol, com temperaturas médias de 25°C, será preciso encomendar mais leite e mais sorvete, porque uma semana quente é sempre movimentada. Por outro lado, se fizermos uma encomenda grande e chover a maior parte do tempo, teremos prejuízo, pois o leite que estragar irá para o lixo. Além disso, fazer um pedido muito grande pode comprometer nosso capital de giro.

Mesmo que a previsão do tempo não seja crucial para a sua empresa, tendências ambientais podem ter um impacto significativo. Na verdade, ao se planejar o futuro de qualquer negócio, é preciso analisar as questões políticas, os fatores econômicos e as preferências do consumidor. Em geral, os hábitos de consumo não mudam da noite para o dia. Eles se transformam pouco a pouco, sendo influenciados, principalmente, pela geração mais jovem.

É claro que ninguém pode prever o futuro, mas existem indicações de como será o "clima". Fique atento ao que está acontecendo ao seu redor e faça planos que estejam de acordo com as tendências. Observe para onde seus clientes se encaminham e qual é a sua posição no mercado. Olhe em volta para ver se está seguindo na direção certa ou se há algum risco iminente para seu modelo de negócio – e faça algo a respeito. Se você acha que haverá problemas econômicos, não invista na expansão da sua empresa.

Como as ameaçadoras nuvens de tempestade, as tendências podem trazer muita chuva. O truque é não resistir às mudanças. Identifique o que está acontecendo, calcule o impacto dessas transformações, desenvolva um plano e aplique-o. A última coisa que você deseja é ter muito "sorvete" em estoque quando chove sem parar.

22
Pague as contas em dia

Quando eu estava tendo aulas de contabilidade na faculdade, meus pais me confiaram a tarefa de cuidar das contas da loja. Devo dizer que assumi uma responsabilidade para a qual não estava pronto. As aulas de contabilidade não me prepararam para elaborar a folha de pagamento, cuidar do estoque, pagar contas, fazer depósitos e tudo o mais. Durante alguns meses, atrasei os pagamentos do fornecedor de confeitos crocantes para os sundaes e as casquinhas. Devo ter colocado as faturas em alguma pasta e simplesmente me esqueci delas.

Essa falha gerou problemas para nós durante algum tempo. Em vez de reclamar que o pagamento estava atrasado, o fabricante tentou nos dar indicações sutis. Eles nos deixavam esperando na linha quando ligávamos para fazer um pedido, depois começaram a atrasar nossas entregas e a nos tratar cada vez mais secamente. Só quando recebemos uma notificação de cobrança é que percebi que havia cometido um erro.

Liguei imediatamente para o fornecedor e me desculpei pelas faturas em atraso. Expliquei que havia me enganado e paguei imediatamente. Não acho que ele acreditou nas minhas boas intenções até o cheque ser compensado. Na semana seguinte, ele ligou para mim e disse que ficara surpreso que aquilo tivesse acontecido porque sabia que tínhamos sido bons clientes até então. Explicou que estava constrangido com a maneira como ele e sua equipe haviam nos tratado e que seu comportamento normal não era esse. Aparentemente, todos os clientes que deixavam de pagar as contas recebiam aquele tratamento "gelado".

Eu nunca havia sido alvo desse tipo de tratamento, por isso resolvi conversar com um fornecedor com quem tínhamos uma ótima relação para saber se aquilo era algo comum. Joe, um dos nossos fabricantes de sorvete, me explicou que o relacionamento entre empresas e fornecedores era baseado em respeito. Quando uma companhia não priorizava o pagamento dentro do prazo, passava a ter má reputação entre os fornecedores, que reagiam não prestando um bom atendimento ou atrasando a entrega dos pedidos.

Parece simples, não é mesmo? Mas aprendi essa lição da pior maneira. No mundo dos negócios sempre há uma troca. Algumas vezes você está dando e outras, recebendo. Se você espera que os clientes paguem por seu trabalho, deve ter a decência de pagar aos fornecedores pelo trabalho duro *deles*. Eles contam com isso, assim como você conta com a receita gerada por seus clientes.

Um bom relacionamento com os fornecedores é inestimável para seu negócio em termos de atendimento, negociação favorável e entrega rápida. Por motivos óbvios, o cliente que paga suas faturas no prazo é valorizado. E pode exigir melhores condições, entre elas não pagar as contas em períodos mais difíceis. Na verdade, um de nossos fornecedores nos ofereceu uma proposta na qual não precisaríamos pagá-lo durante o inverno, quando o fluxo de caixa é menor, quitando tudo sem juros no verão. Ele reconheceu nossa situação e, considerando nosso sólido histórico de pagamentos, nos ofereceu um ótimo acordo.

Desde esse incidente, nunca mais atrasamos nossos pagamentos e fomos muito beneficiados em termos de descontos e de entregas mais ágeis. Mantenha as contas em dia. Essa é a coisa certa a fazer e, a longo prazo, pode gerar grandes recompensas para seu negócio.

23
Economizar faz parte do negócio

Meu pai é muito detalhista. Gosta de fazer perguntas sobre *tudo*. Quando eu era criança, isso me incomodava profundamente. Hoje, ele faz a mesma coisa com a loja, especialmente no que diz respeito ao preço dos suprimentos. Ele adora economizar, ser frugal.

A maior parte de nosso estoque de laticínios vem de um fornecedor terceirizado e indicado pela matriz da DQ, mas às vezes não dava para esperar a próxima entrega e precisávamos comprar alguns litros de leite para manter a produção. No início, procurávamos o supermercado mais próximo. Mas meu pai logo descobriu que uma pequena mercearia um pouco mais distante oferecia preços mais em conta e passou a ir lá comprar. É claro que o leite vendido no supermercado vizinho é mais caro, mas a conveniência da localização compensa os centavos a mais. Quando eu trabalhava nos fins de semana, comprava o leite na loja mais próxima. Mas meu pai não ficava muito feliz.

Como eu, algumas pessoas acham que não vale a pena o esforço para economizar alguns centavos se o custo-benefício (tempo e gasolina versus economia) não for consistente. Para meu pai, no entanto, poupar era fundamental. Sempre que passava em frente da tal mercearia, ele fazia questão de comprar o leite mais barato. Com o tempo, percebi que ele e minha mãe tinham abraçado esse hábito: adicionavam água ao restinho de detergente para aproveitá-lo até o fim e faziam parcerias com outras lojas da Dairy Queen para comprar produtos no atacado, a um preço melhor. Até então eu e minhas irmãs nunca havíamos prestado atenção a esses detalhes, principalmente porque economizar um ou dois dólares aqui e ali não era algo que nos preocupasse na juventude. Nós só queríamos conveniência. Mas, com o tempo, as coisas passaram a fazer sentido.

Não é a economia de alguns centavos que está em discussão, mas a forma de pensar que leva a esse comportamento. Algumas pessoas nascem com esse espírito de moderação, enquanto outras, como eu, não. Nos últimos anos, aprendi a levar uma vida mais simples porque não faz sentido desperdiçar dinheiro.

Encoraje a moderação. Pesquise preços e se esforce para encontrar novas maneiras de cortar despesas. Abra mão de comprar alguma coisa pelo mero prazer de comprar ou porque se trata de uma boa oferta. Manter uma postura de sobriedade e frugalidade ajuda a reduzir os custos e, conseqüentemente, a aumentar os lucros. Andar um quilômetro a mais para comprar o leite mais barato pode fazer a diferença no que se refere a ter sucesso nos negócios.

24
Mantenha boas relações com a vizinhança

Numa tarde de verão, estávamos assistindo à previsão do tempo e ouvimos que tempestades com trovões eram esperadas no final do dia. Pouco depois surgiram nuvens negras e começou a chover muito. Fazia semanas que o clima estava úmido, de forma que já esperávamos um pouco de chuva e, como conseqüência, uma queda no movimento da sorveteria. Mas, de repente, relâmpagos começaram a iluminar o céu e a energia acabou.

Depois de alguns minutos, comecei a ficar preocupado. Falta de energia elétrica é um problema para quem trabalha com sorvetes. Como meia hora depois a energia ainda não tinha voltado, os sorvetes começaram a derreter. Falei com a companhia de eletricidade e descobri que a queda de energia estava concentrada em um raio de pouco mais de três quilômetros em torno de nossa área, o que significava que algumas partes da cidade ainda tinham energia. Liguei para alguns restaurantes, mas não consegui encontrar nenhum que tivesse o tipo de freezer de que precisávamos para o sorvete. Na verdade, apesar de ter vivido e trabalhado na região durante anos, eu nunca prestara atenção nos restaurantes da vizinhança, por isso levei algum tempo até encontrar um que tivesse um congelador.

Depois de localizar um estabelecimento que podia atender às nossas necessidades, liguei para lá e me apresentei ao gerente. Perguntei se poderíamos usar seu freezer para armazenar alguns produtos até que a energia retornasse à nossa loja. Eu era um completo estranho e ele ficou sem saber como reagir, mas perguntou o que eu gostaria de guardar e por quanto tempo. Depois de garantir que não ocuparia muito espaço nem perturbaria seu negócio, carreguei meu carro com o máximo de produtos que consegui e parti para o restaurante. A energia voltou cerca de duas horas depois e, apesar de termos sido obrigados a jogar fora alguns produtos, o prejuízo não foi tão grande.

Conheça seus vizinhos. Independentemente de serem ou não seus concorrentes, visite suas instalações e se apresente. Ofereça-lhes um sundae de graça ou apenas passe para desejar um bom dia de vez em quando. Eles podem compartilhar um insight importante sobre a comunidade ou dar alguma dica prática. Quando inauguramos nossa sorveteria, a primeira coisa que meus pais fizeram foi visitar as lojas da região para se apresentarem. Na pior das hipóteses, você pode ter uma conversa agradável com um colega lojista. E, caso falte energia, você terá a quem pedir ajuda.

25
Conheça seu produto

Nos últimos 15 anos, as pessoas ficaram mais preocupadas do que nunca com calorias, gordura e carboidratos. Na metade da década de 1990, com a febre do frozen yogurt, muitos clientes estavam atentos ao consumo excessivo de calorias, mas não acho que fossem tão radicais quanto os consumidores de hoje. De forma geral, acredito que a maioria das pessoas, quando resolve comer algo doce, não se preocupa em contar calorias. Até recentemente, nunca tinha me preocupado em ler os rótulos de nossos produtos. Mas os clientes começaram a perguntar o número de calorias de cada sorvete e o fato de não conhecer os detalhes me deixou constrangido em algumas ocasiões.

Nem todos consideram fundamental informar ao cliente quantas calorias tem uma casquinha. Por que se dar ao trabalho? São mesmo "muitas". Mas o fato é que isso passou a ser importante para o consumidor. Pessoas que estão de dieta ou têm diabetes e controlam a ingestão de açúcar precisam conhecer as informações básicas sobre o que comem. E o seu papel é respeitar e atender essa necessidade.

Responder às perguntas dos clientes com precisão influencia muito a credibilidade de seu negócio. Se você não der a informação correta, os clientes podem achar que o produto é mais calórico do que realmente é, e isso pode fazer com que venham à loja com menos freqüência. Portanto, tenha o máximo de informações possível sobre todos os aspectos de seus produtos. Aprofunde-se, leia, pesquise – enfim, conheça esses detalhes como se seu negócio dependesse deles.

Isso se aplica não apenas ao produto, mas também ao conhecimento sobre as finanças da empresa, ao relacionamento com os funcionários, ao gerenciamento de fornecedores e muito mais. Estar bem informado estimula a autoconfiança e ajuda na hora de tomar decisões importantes. Uma forma de obter os dados necessários é fazer muitas perguntas sobre tudo. Seja curioso. Isso enriquecerá suas habilidades e permitirá que você ofereça um atendimento de qualidade aos clientes, ao mesmo tempo que evitará situações constrangedoras.

26
Ensine pelo exemplo

Era uma noite de sexta-feira, por volta das sete horas, quando cheguei exausto à loja. Eu acabara de regressar de uma viagem de negócios de meu emprego "de verdade", como executivo de uma grande corporação. Depois de visitar três países em cinco dias, a última coisa que eu queria era ajudar na loja. Mas, considerando que a temperatura era de quase 30°C e que minhas irmãs não estavam na cidade, eu sabia que minha mãe tinha trabalhado o dia todo e que devia estar cansada.

Como muitas vezes no passado, fui à loja e mandei minha mãe para casa descansar, apesar de suas objeções. Começamos a ter mais movimento cerca de uma hora depois e atendemos sem intervalo até às onze e meia. Nem os funcionários nem os clientes sabiam que mais cedo, naquele mesmo dia, eu negociara questões complexas no exterior e que, literalmente, saíra do avião direto para a loja.

Enquanto ajudava um dos funcionários a levar o lixo para o estacionamento, ele perguntou o que eu fizera durante a semana e lhe contei sobre a viagem de negócios. Depois de seis anos no mesmo cargo, viagens internacionais se tornaram tão comuns que eu deixara de vê-las como algo importante, mas as pessoas na DQ achavam "o máximo".

Naquela noite havia na loja três funcionários novos, que tinham começado a trabalhar conosco há duas semanas. No decorrer da noite, atendemos clientes, limpamos a loja e fizemos bolos. Em algum ponto da conversa, eles me perguntaram por que eu ficava no balcão se poderia relaxar um pouco nos fundos da loja. Sem pensar, respondi que não achava que atender os clientes era realmente "trabalhar". Eu estava cansado da longa viagem, mas fiz o que precisava – liberar minha mãe e servir as pessoas. "O que há de mais nisso?", pensei.

Esses garotos trabalharam conosco por alguns verões, o que é raro, pois a maioria não retorna depois de entrar para a faculdade. Nesse período, eles viram que eu e minhas irmãs tínhamos nossos empregos durante a semana e ajudávamos na loja nos fins de semana. E não ficávamos sentados assistindo à televisão, o que poderíamos ter feito sem problemas. Nós trabalhávamos na linha de frente, levavamos o lixo para fora e realizávamos as mesmas tarefas que os funcionários.

Muitos anos depois, já formados e empregados em suas áreas de atuação, alguns ex-funcionários vinham nos visitar na loja. Sem exceção, todos tinham lembranças positivas da experiência vivida ali na adolescência e nos diziam que nossa ética de trabalho serviu de inspiração para suas vidas profissionais.

Não estou certo se o que diferencia minha família é a ética de trabalho – diria que é simplesmente a liderança. Durante o período de treinamento, tentamos incutir nos novos funcionários a importância de prestar um excelente atendimento ao cliente, mostrando a eles como fazer isso. Nos dois primeiros dias, acompanhamos os novatos enquanto eles servem as pessoas. No primeiro dia, ensinamos como preparar os produtos, especialmente as casquinhas com a espiral da DQ no topo, mas ficamos no comando. No segundo dia, continuamos ao lado deles, mas deixamos que assumam o controle e interajam com os clientes, ajudando apenas quando necessário. Nós os encorajamos a se comunicar com simplicidade e a sorrir ao lidar com os clientes.

A palavra "liderança" costuma ser usada como sinônimo de "gerenciamento" ou quando queremos elogiar alguém por fazer algo de modo inesperado. Nossa experiência com liderança é um pouco diferente. Para nós, trata-se de fazer a coisa certa por nosso pessoal. Interagimos, treinamos e educamos os funcionários para que sejam líderes por conta própria. Por isso trabalhamos com eles na linha de frente, para que se tornem profissionais conscientes, capazes de tomar iniciativas. Acreditamos que nosso papel é servir de modelo do tipo de comportamento que desejamos ver na nossa equipe.

Liderança é menos uma questão de saber a coisa certa a fazer e mais uma questão de ajudar seus funcionários a obter sucesso. Nós fazemos isso trabalhando lado a lado com as pessoas, orientando seu comportamento para que aprendam e cresçam. Liderança não é saber fazer uma casquinha perfeita de sorvete, e sim ajudar os integrantes da sua equipe a serem bem-sucedidos. A principal maneira de fazer isso é mostrando como as coisas devem ser feitas e deixando o caminho livre para que eles sigam em frente sozinhos.

27
É importante impor limites

Nos primeiros anos da loja, estávamos tão ansiosos para que o negócio desse certo que fazíamos qualquer coisa para atrair – e manter – novos clientes. Ficávamos abertos até meia-noite ou uma hora da manhã, quando deveríamos fechar às onze. Fizemos isso durante alguns verões. Os clientes que saíam da última sessão de cinema formavam fila na nossa loja em busca de uma gostosura para fechar a noite.

Na época, manter a loja aberta até tão tarde não era problema porque faturávamos bem e agradávamos os clientes. Mas, depois de um tempo, começamos a ficar incomodados. Fechar de madrugada e reabrir às onze da manhã era fisicamente desgastante. Não conseguíamos ser tão produtivos durante o dia. O dinheiro a mais que ganhávamos à meia-noite não valia o esforço quando colocávamos na balança o que acontecia com nossa saúde e bem-estar. Então paramos de fazer isso. Agora, fechamos às onze horas da noite. A única exceção é quando há uma fila enorme de pessoas aguardando atendimento.

Quando você se força a fechar no horário, acaba condicionando os clientes. Se não impuser limites, o trabalho nunca acaba. Vá para casa em um horário decente e descanse. Nenhum negócio compensa perder tempo precioso com a família ou prejudicar a saúde. Fechando a loja no horário, você terá mais satisfação na vida pessoal, mais disposição para dar duro no dia seguinte e mais entusiasmo pelo trabalho.

28
Diante da grosseria, seja profissional

Minha mulher, minhas irmãs e eu temos empregos que a maioria das pessoas consideraria "excepcionais". Minhas irmãs são formadas em administração e trabalham para grandes corporações. Minha mulher é técnica em optometria (prática profissional que, pelo exame do olho, diagnostica falhas de refração e prescreve lentes ou exercícios apropriados). Quanto a mim, possuo formação e pós-graduação em marketing e negócios internacionais e trabalho há 13 anos em uma das maiores empresas do mundo.

Já tivemos uma grande variedade de experiências, desde viajar a outros países até limpar o chão. Assim, quando um adolescente para quem estou servindo um sundae diz que sou burro por errar o sabor de seu sorvete, é natural que eu fique com raiva. Começo a pensar: "Como é que esse garoto tem a coragem de me chamar de burro? Já fiz e vi mais coisas em um ano do que ele fez em toda a vida."

Às vezes, nessas situações, seu ego deseja assumir o controle e dizer ao cliente que você é melhor do que ele. Mas então você percebe que não sabe nada sobre essa pessoa e que pode estar se rebaixando ao nível dela ao fazer suposições sobre alguém que não conhece. É difícil resistir e não revidar, mas atacar o cliente é ruim para os negócios e para você também. No fundo, essa não é a coisa certa a fazer.

Se você responder a um cliente grosseiro na mesma moeda, é provável que ele nunca mais volte. E, se fizer isso com freqüência, não terá muitos fregueses. Nos últimos anos, tenho visto cada vez mais pessoas indelicadas e penso sobre todos os problemas que podem estar enfrentando em suas vidas. Sempre que minha mulher e minhas irmãs dizem que foram alvo de descortesias, eu as aconselho a deixar para lá. Você nunca sabe que tipo de problema o outro pode estar enfrentando. Talvez ele ou alguém da família sofra de uma doença grave. Talvez ele tenha perdido o emprego. Ou, quem sabe, esteja apenas tendo um dia ruim.

A postura correta é demonstrar humildade e profissionalismo diante da grosseria. Se responder na mesma moeda, pode estar certo de que o cliente jamais voltará à sua loja. Quem iria querer retornar a um lugar que o intimida e constrange? Eu, não. E, provavelmente, ninguém que possa escolher. Quem vai lucrar é seu concorrente.

Um cliente mal-educado é desagradável, mas sua dor de cabeça pode ser muito maior se agir de forma impensada e fizer julgamentos precipitados. Você pode pagar caro por isso. Seja humilde e controle seu ego. No fim das contas, tudo o que você deseja é vender seus produtos e serviços e ir para casa. Controlando seu temperamento e sendo gentil, você está fazendo a coisa certa para sua paz de espírito e para seu negócio.

29

Os problemas são universais

A cada dois anos, a Dairy Queen organiza uma convenção para franqueados de todo o mundo. Não fomos durante os primeiros anos, mas não resistimos à convenção marcada para o Havaí. Nesse ano, resolvemos arriscar e viajamos até Honolulu para participar do encontro. Conhecemos centenas de famílias iguais à nossa, que tinham vindo de todas as partes dos Estados Unidos. Foi incrível conhecer pessoas novas e perceber como nos identificávamos em tantos níveis: as experiências em comum, os problemas familiares e até a escolha do tipo certo de calda quente. Conhecemos os fornecedores nacionais, o pessoal de marketing e até o presidente da Dairy Queen International.

Uma das famílias que conhecemos, do Wyoming, tinha comprado a loja na mesma época que meus pais. Além disso, eles tinham uma dinâmica familiar muito parecida com a nossa. O casal beirava os 60 anos e tinha uma filha de 18 anos e um filho de 16. Os jovens não "gostavam" de trabalhar na sorveteria, exatamente como eu e minhas irmãs quando tínhamos a mesma idade. Fomos jantar juntos e compartilhamos histórias incríveis. Eles até nos ensinaram alguns truques que não conhecíamos.

Retornando da viagem, percebi que em todo o país pessoas vivenciavam os mesmos desafios e as mesmas maravilhas que envolvem a administração de uma franquia da Dairy Queen. Saber que não estávamos sós e que as questões que nos afligiam eram universais fez com que nos sentíssemos parte de algo maior. Permitiu, inclusive, que percebêssemos aspectos do negócio que, de outra forma, passariam despercebidos.

É importante sair e conhecer pessoas do seu ramo. Pode ser em uma feira do seu setor ou numa conferência. O importante é estabelecer relacionamentos com pessoas como você. Isso possui um valor inestimável. Todo mundo se sente solitário diante das coisas boas e ruins que acontecem diariamente, mas a verdade é que não está. Conheça o mundo lá fora. Faça contatos. Você pode aprender uma ou duas coisas sobre seu negócio e sobre si próprio.

30

É preciso dar para receber

Patrocinar um time da liga infantil de beisebol foi, provavelmente, uma das coisas mais legais que já fizemos. O patrocínio era um pouco caro, mas resolvemos ajudar porque um de nossos clientes mais fiéis era técnico do time e também porque parecia ser a coisa certa naquele momento.

O envolvimento com a comunidade faz uma enorme diferença. Ao patrocinar o time local e distribuir ocasionalmente sorvete para os jogadores, passamos a desempenhar um papel ativo na comunidade. É claro que éramos beneficiados quando ônibus repletos de garotos, acompanhados pelos pais e irmãos, paravam na loja depois de um jogo, porém o mais importante foi perceber que a empresa deve algo à comunidade onde está instalada.

São seus vizinhos que garantem a renda necessária para manter seu negócio aberto, de forma que o mínimo que você pode fazer é retribuir. Dê algo de volta para a comunidade onde trabalha ou mora. É uma questão de dar e receber. Você pode optar por fazer trabalho voluntário em um hospital ou patrocinar um time da liga infantil. O importante é se envolver e retribuir de alguma forma. Você estará prestando um serviço às pessoas que geram a renda de seu negócio.

Conclusão

Trabalhar na loja da Dairy Queen da minha família me ensinou algumas lições fundamentais. A mais importante é que devemos adotar as mesmas atitudes para ter sucesso na vida ou nos negócios, o que significa dedicação e comprometimento com a tarefa a ser realizada, fidelidade a determinados princípios e comportamento justo e gentil com todas as pessoas. No fim do dia, o que importa não é a quantidade de casquinhas que sirvo nem o cargo que ocupo na grande empresa em que trabalho, mas o valor que agrego à família, aos amigos, funcionários e clientes.

No dia-a-dia, esse valor é o produto ou o serviço que oferecemos aos clientes. Em nossa loja da Dairy Queen, não vendemos sorvete, e sim uma experiência emocional. Vendemos o sentimento positivo associado a uma visita à nossa loja. Como é maravilhosa a sensação de ver os olhos de uma criança brilhando diante daquela casquinha de sorvete que estamos servindo. Ou preparar um sundae com calda quente perfeito para aquela senhora que teve um dia duro no trabalho.

Agradar nossos clientes oferecendo essa experiência inesquecível é o que faz o trabalho valer a pena e determina o sucesso do negócio. Não importa em que ramo você atue, sempre existe a possibilidade de tratar bem os clientes – e se beneficiar com isso.

"Às vezes, as coisas mais simples são as que nos ensinam as maiores lições de vida."

Os 30 mandamentos do bom atendimento ao cliente

A história	A lição de negócios
1. Eles não são apenas clientes, são pessoas	Todos somos humanos
2. Saiba o nome dos clientes e conheça suas preferências	Conheça seus clientes
3. O cliente é rei	Cubra-os de regalias
4. Não deixe o cliente esperando	Seja atencioso
5. Prove seu sorvete de vez em quando	Saiba o que está vendendo

6. É preciso ter um padrão de qualidade	Ofereça consistência
7. Não sirva bananas maduras demais	Ofereça qualidade
8. Nunca se esqueça da boa e velha baunilha	Ela é a galinha dos ovos de ouro
9. Sempre substitua a casquinha que caiu no chão	Integridade é inestimável
10. Você quer chantilly e castanhas?	Aumente o valor das vendas
11. A cereja é sempre grátis	Toque o cliente emocionalmente
12. Sorria e faça sorrir	Um primeiro contato positivo é crucial
13. O chefe não é o cliente	Concentre-se no que é realmente importante
14. Torne-se um especialista em tortas	Incorpore novas técnicas e tecnologias
15. Cobre o preço justo	Faça a coisa certa

16. Sempre existe algo precisando ser limpo	Estimule a ação
17. É preciso ter paixão pelo trabalho	Ame o que você faz
18. Trate bem seus colaboradores	Fornecedores são inestimáveis
19. Invista em treinamento	Invista em seu pessoal
20. Cuide bem das máquinas	Fique atento à manutenção dos equipamentos
21. Fique atento ao que acontece ao seu redor	Faça planos de acordo com as tendências
22. Pague as contas em dia	Crédito bom e condições boas
23. Economizar faz parte do negócio	Frugalidade deveria ser um hábito
24. Mantenha boas relações com a vizinhança	Conheça todos ao seu redor
25. Conheça seu produto	Detalhes, detalhes e mais detalhes
26. Ensine pelo exemplo	Seja um líder que faz

27. É importante impor limites	Tenha uma vida fora do trabalho
28. Diante da grosseria, seja profissional	Seja humilde
29. Os problemas são universais	Aprenda com os outros
30. É preciso dar para receber	Seja parte de sua comunidade

CONHEÇA OUTROS TÍTULOS DA EDITORA SEXTANTE

É O CLIENTE QUE IMPORTA
Michael A. Aun

Não há como fugir desta verdade: a melhor estratégia para sobreviver no mundo dos negócios é oferecer um ótimo atendimento ao cliente.

Nesse livro, o vendedor de sucesso Michael Aun compartilha seus segredos sobre como fazer o consumidor se sentir valorizado e feliz, melhorar os resultados da empresa e manter a sanidade diante dos desafios do dia a dia na área de vendas.

Com essa leitura você vai descobrir os mitos e as verdades a respeito da satisfação do cliente e entenderá por que muitas empresas são campeãs nos índices de reclamação. E o mais importante: compreenderá o que se passa na cabeça dos consumidores.

É o cliente que importa está repleto de dicas valiosas que você pode aplicar no seu trabalho. Conheça algumas:

- Quando estiver atendendo um consumidor ou prestes a fechar uma venda, fique calado um instante e ouça com atenção o que ele tem a dizer.
- Se a empresa cometeu um erro, corrija-o logo para que o cliente não seja prejudicado. É melhor primeiro resolver o problema e depois identificar os culpados.
- Às vezes é preciso mostrar ao cliente que você não é o inimigo, e sim parte da solução.
- Não pense que a lealdade é dada de mão beijada; ela é conquistada.
- Mesmo que não possa oferecer uma solução imediata e definitiva, nunca deixe o consumidor sem resposta.

Consiga o que você quer
Stuart Diamond

Considerado o melhor livro para a sua carreira pelo *The Wall Street Journal*, *Consiga o que você quer* apresenta um estilo de negociação inovador que foi adotado pelo Google para treinar seus funcionários no mundo inteiro.

Esse livro mostra que descobrir e valorizar as emoções e as percepções da outra parte é bem mais vantajoso do que o uso do poder e da lógica, tão incentivado pela sabedoria convencional.

De forma direta e acessível, o professor Stuart Diamond ensina as estratégias de seu prestigiado curso de negociação da Wharton Business School, o mais concorrido da instituição nos últimos 13 anos.

Suas ferramentas mudarão a forma como você conduz seus relacionamentos com a família, com os amigos, no trabalho, em viagens, na hora das compras, nos negócios, em assuntos públicos, etc.

O autor mostra que o fundamental é tentar compreender o que se passa na cabeça do outro e que nem tudo diz respeito a dinheiro: bens intangíveis, como valorizar as pessoas, podem trazer muito mais resultados.

Ele defende também que o uso do poder não deve ser estimulado, pois frequentemente provoca retaliação e prejudica as relações, e que às vezes faz mais sentido perder hoje para conseguir mais amanhã.

Em mais de 400 relatos, pessoas comuns contam como melhoraram sua vida, obtendo um aumento de salário, fechando um ótimo contrato, habituando seus filhos a fazer o dever de casa, entre outras coisas.

As técnicas desse livro funcionaram para todas elas. E funcionarão também para você.

Atendimento Nota 10

Performance Research Associates

Prestar um Atendimento Nota 10 é criar uma experiência inesquecível para o cliente. É suprir expectativas e satisfazer necessidades, descobrindo oportunidades de surpreender e cativar. E assim fazer com que ele volte sempre.

Com uma linguagem e ilustrações simples e bem-humoradas, *Atendimento Nota 10* aborda os mais importantes aspectos envolvidos em um serviço de alta qualidade. Nesse livro você encontrará variadas estratégias, técnicas e dicas para prestar o melhor atendimento – pessoalmente, pela internet e pelo telefone.

Por que os clientes não fazem o que você espera?
Ferdinand Fournies

O modo como você conduz um encontro com um cliente é fundamental para definir o sucesso de uma venda, mas o verdadeiro poder está nas mãos dele. A reação do cliente à sua abordagem é o que, de fato, determina se a negociação vai ser bem-sucedida ou não.

O desafio é enxergar as visitas de vendas com os olhos do cliente e fazer com que ele reaja como você deseja – ou seja, fechando a venda o mais rapidamente possível.

Por que os clientes não fazem o que você espera? deixa de lado truques e receitas pré-fabricadas e mostra ações específicas para melhorar significativamente suas vendas e seus resultados.

Abrace seus clientes
Jack Mitchell

Uma vez cliente, sempre amigo. Este é o princípio básico da teoria do abraço de Jack Mitchell, um dos proprietários do grupo Mitchells/Richards, duas das mais bem-sucedidas e elegantes lojas de roupas dos Estados Unidos.

Nesse livro, ele mostra as vantagens de liderar uma empresa centrada nos clientes e como desenvolver a cultura do abraço, fazendo com que todos, do mensageiro ao presidente, se dediquem e se envolvam diretamente com eles.

CONHEÇA OS CLÁSSICOS DA EDITORA SEXTANTE

1.000 lugares para conhecer antes de morrer, de Patricia Schultz

A História – A Bíblia contada como uma só história do começo ao fim, de The Zondervan Corporation

A última grande lição, de Mitch Albom

Conversando com os espíritos e *Espíritos entre nós*, de James Van Praagh

Desvendando os segredos da linguagem corporal e *Por que os homens fazem sexo e as mulheres fazem amor?*, de Allan e Barbara Pease

Enquanto o amor não vem, de Iyanla Vanzant

Faça o que tem de ser feito, de Bob Nelson

Fora de série – Outliers, de Malcolm Gladwell

Jesus, o maior psicólogo que já existiu, de Mark W. Baker

Mantenha o seu cérebro vivo, de Laurence Katz e Manning Rubin

Mil dias em Veneza, de Marlena de Blasi

Muitas vidas, muitos mestres, de Brian Weiss

Não tenha medo de ser chefe, de Bruce Tulgan

Nunca desista de seus sonhos e *Pais brilhantes, professores fascinantes*, de Augusto Cury

O monge e o executivo, de James C. Hunter

O poder do Agora, de Eckhart Tolle

O que toda mulher inteligente deve saber, de Steven Carter e Julia Sokol

Os segredos da mente milionária, de T. Harv Ecker

Por que os homens amam as mulheres poderosas?, de Sherry Argov

Salomão, o homem mais rico que já existiu, de Steven K. Scott

Transformando suor em ouro, de Bernardinho

INFORMAÇÕES SOBRE OS PRÓXIMOS LANÇAMENTOS

Para saber mais sobre os títulos e autores
da EDITORA SEXTANTE,
visite o site www.sextante.com.br
ou siga @sextante no Twitter.
Além de informações sobre os próximos lançamentos,
você terá acesso a conteúdos exclusivos
e poderá participar de promoções e sorteios.

Se quiser receber informações por e-mail,
basta cadastrar-se diretamente no nosso site.

Para enviar seus comentários sobre este livro,
escreva para atendimento@esextante.com.br
ou mande uma mensagem para @sextante no Twitter.

EDITORA SEXTANTE
Rua Voluntários da Pátria, 45 / 1.404 – Botafogo
Rio de Janeiro – RJ – 22270-000 – Brasil
Telefone: (21) 2538-4100 – Fax: (21) 2286-9244
E-mail: atendimento@esextante.com.br